Paid â gwadd deinosor i ginio

gan Gareth Edwards

Darluniau gan Guy Parker-Rees

Addasiad gan Gwynne Williams

DREF WEN

Paid â gwadd deinosor i ginio o gwbwl.

Wir, paid byth â gwadd deinosor i ginio o gwbwl.

Mae'n sbort ar y dechrau gwylio'r cinio'n diflannu
Ond mae'n llyncu a llowcio heb feddwl am rannu.
Does ganddo ddim moesau a llai fyth o eiriau

A thoc bydd yn bwyta y bwrdd
a’r cadeiriau.

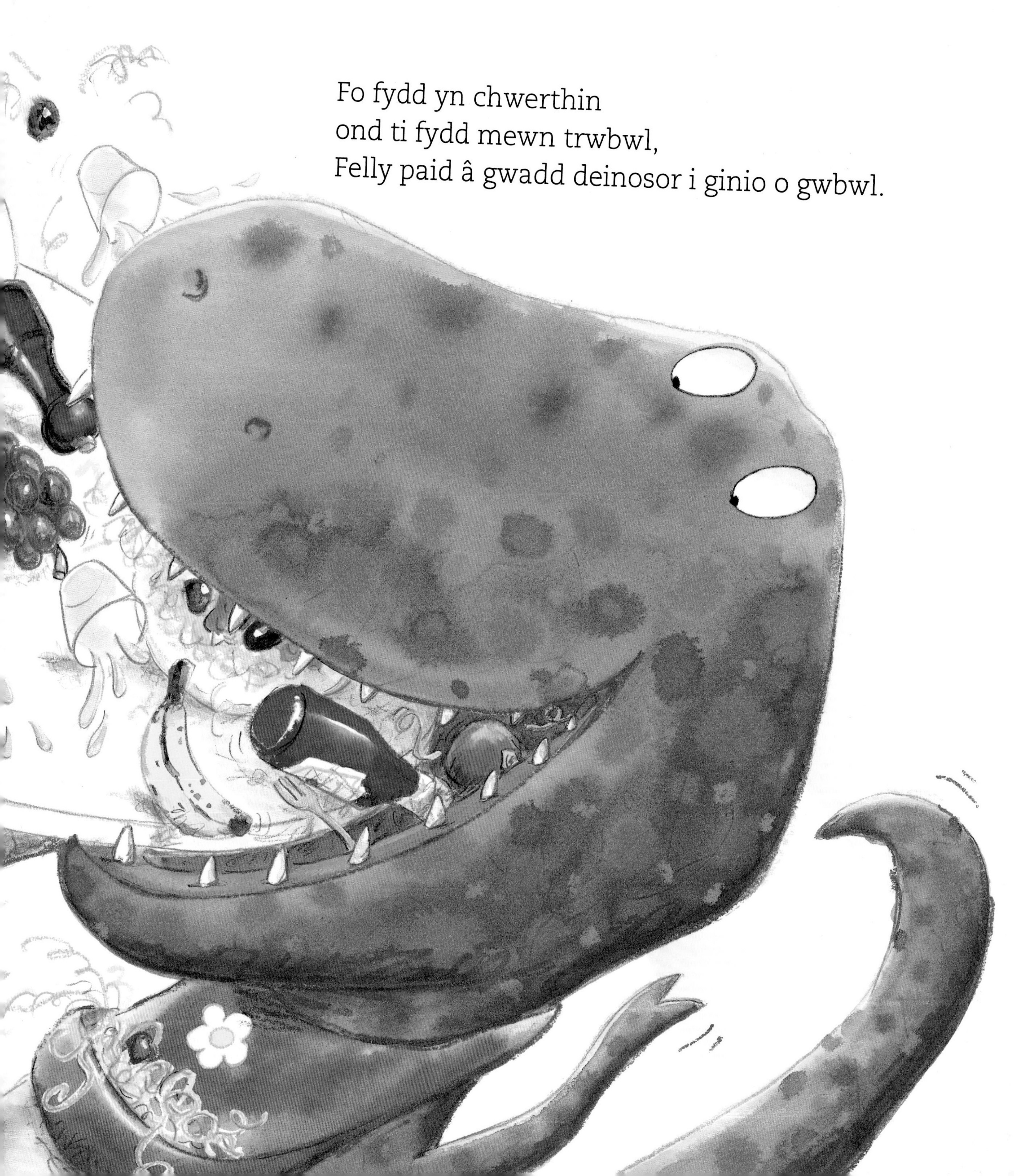

Fo fydd yn chwerthin
ond ti fydd mewn trwbwl,
Felly paid â gwadd deinosor i ginio o gwbwl.

Paid â rhoi dy frws dannedd i siarc dwi'n rhybuddio.
Wir, paid byth â rhoi dy frws dannedd
i siarc dwi'n rhybuddio.

Mae'n hwyl gweld y wyneb a'r stumiau mae'n tynnu
Pan fydd o yn brwsio ei ddannedd i'w gwynnu.
Ond O! mae'n eu gwneud nhw'n fain ac yn finiog

A phan fydd o wedyn yn chwilio am ginio
Gwylia di! Fydd dim amser
i ddianc na chuddio.

Felly paid â rhoi dy frws dannedd i siarc dwi'n rhybuddio.

Paid â benthyg y basn ymolchi i afanc.

Wir, paid byth â benthyg y
basn ymolchi i afanc.

Mae'n ddigri ei wylio â'i
ddaint a'i grafangau

Yn llenwi y basn â
choed a changau.

Ond wedi ei thwtio â brigau a rhedyn
Bydd o yn cael pysgod i'w llenwi hi wedyn.

Elli di ddim ymolchi
lle bu afanc a'i grafanc.

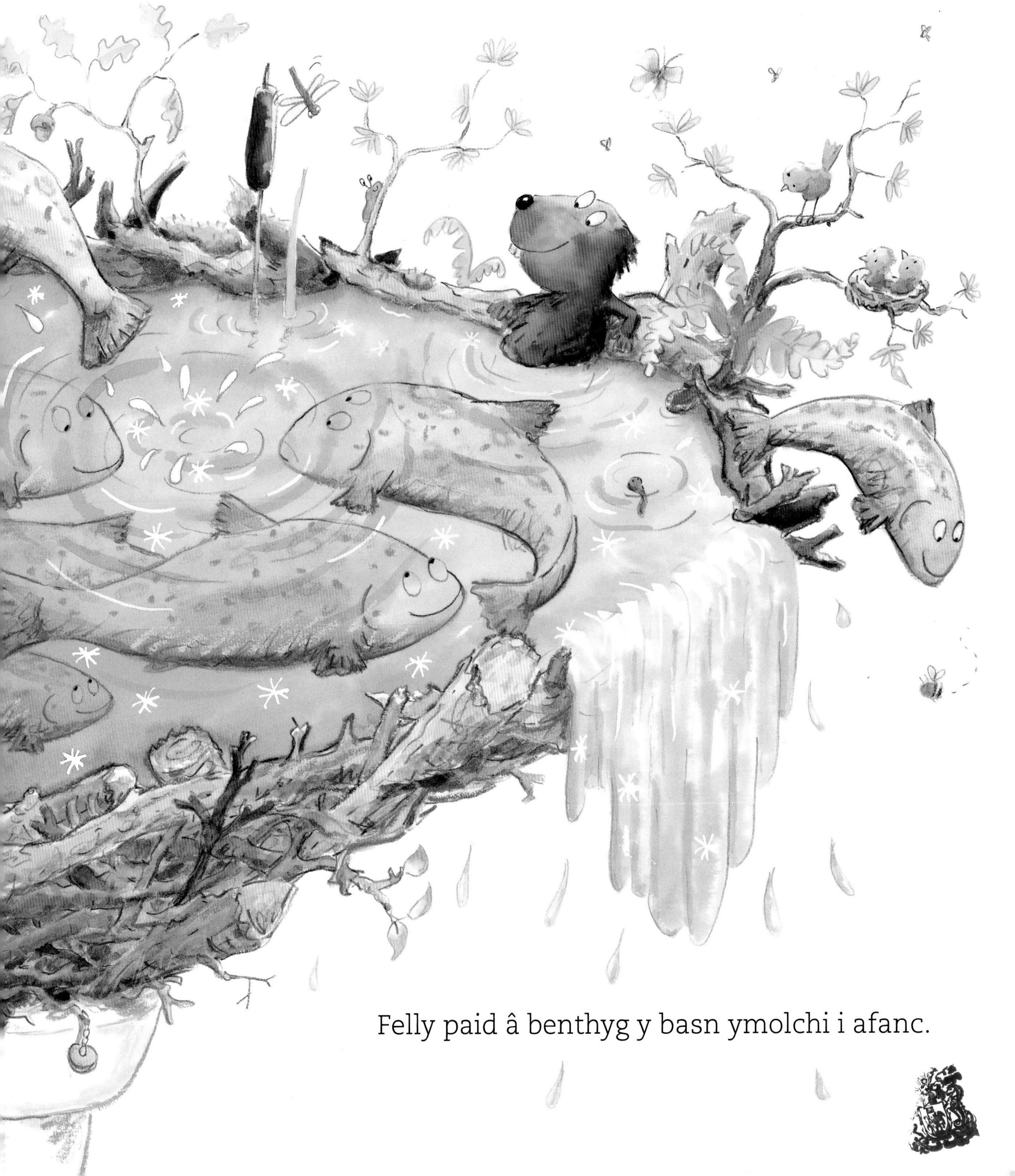

Felly paid â benthyg y basn ymolchi i afanc.

Paid â dewis teigr fel lliain i sychu.
Wir, paid byth â dewis cael teigr fel lliain i sychu.

Mae'n wych rhwbio ynddo pan fydd o yn cysgu
Ond pan fydd o'n deffro fe fyddi di'n dysgu
Bod teigr yn rhedeg yn wyllt ac yn neidio.
A waeth i ti heb ddweud wrtho am beidio

Achos pan fydd o'n bygwth
mae'n siŵr o'th frawychu.

Felly paid byth â dewis cael teigr fel lliain i sychu.

Paid â dewis beison i'th gadw rhag rhynnu.

Wir paid byth â dewis beison i'th gadw rhag rhynnu.

Mae'n sbri llusgo'i gynffon ac weithiau ei gosi

Ond bydda'n ofalus pan fydd hi yn nosi.

Mae beison mor drwm bydd dy wely di'n sigo
Heb sôn am ei garnau a'i gyrn yn dy bigo.

A phan fydd o'n rhochian
fe fyddi di'n crynu.

Felly paid byth â dewis beison i'th gadw rhag rhynnu.

Paid â rhannu dy wely a'th lofft
â thylluan.
Wir paid byth â rhannu dy wely
a'th lofft â thylluan.

Mae'n glyd yn ei phlu pan fydd gwynt oer
yn rhuo
Ond yna ar ôl iddi nosi a duo
Bydd hi'n mynd i chwilio am lygod sy'n celu
Cyn dod â nhw 'nôl a'u bwyta'n dy wely.

Fydd y bore dwi'n siŵr
ddim yn dod yn rhy fuan.
Felly paid â rhannu dy wely a'th lofft â thylluan.

NA! does ond un ffordd i gysgu'n sownd tan y bore.
Wir, does ond un ffordd i gysgu'n sownd tan y bore ...

Dywed 'Nos Da' wrth y teigr am heno,
Yr afanc a'r beison a'r cyrn ar ei ben o,
Y deinosor barus, y siarc a'r dylluan.
Mae'n well i ti fynd i'r gwely yn fuan ...

Efo UN tedi annwyl sydd isho'i gofleidio …

… a defaid i'w cyfri
wrth iddyn nhw neidio.

Yn wir, dyna'r ffordd ORE
I gysgu trwy'r nos yn sownd tan y bore.

Cyhoeddwyd gyntaf yn Saesneg yn 2014
gan Alison Green Books,
argraffnod o Scholastic Children's Books
Euston House, 24 Eversholt Street, Llundain NW1 1DB
dan y teitl *Never Ask a Dinosaur to Dinner*
Cyhoeddwyd yn Gymraeg 2016 gan Wasg y Dref Wen Cyf.
28 Ffordd yr Eglwys, Yr Eglwys Newydd,
Caerdydd CF14 2EA
Ffôn 029 20617860.
Cyhoeddwyd gyda chymorth ariannol Cyngor Llyfrau Cymru.

Argraffwyd yn Malaysia.